这是我的书 It's MY BOOK 7级：400字

谁家的可可

节日里的拉琴人

原作：胡一毕（Yibi Hu）
改编：秦志宁（Zhining Chin）

北京语言大学出版社
BEIJING LANGUAGE AND CULTURE UNIVERSITY PRESS

PHOENIX TREE
PHOENIX TREE PUBLISHING INC.

识读 张灯结彩 已经 急忙 道路 钱 快乐 有趣

句型 ……在做什么？

字数 399字

dōng tiān dào le jié rì yě duō le jiē shang zhāng dēng
冬天到了，节日也多了，街上张灯
jié cǎi dào chù dōu shì wǔ yán liù sè de dào lù liǎng
结彩，到处都是五颜六色的。道路两
biān de shāng diàn li bǎi zhe hěn duō hǎo kàn de lǐ wù hǎo
边的商店里摆着很多好看的礼物、好
chī de diǎn xin hé yǒu qù de wán jù guò jié zhēn hǎo
吃的点心和有趣的玩具，过节真好！

dì di gēn zhe bà ba cóng yí gè shāng diàn zǒu
弟弟跟着爸爸从一个商店走

dào lìng yí gè shāng diàn tū rán kě kě jí jí máng
到另一个商店。突然，可可急急忙

máng de pǎo guo lai bǎ shǒu shēn dào le bà ba de
忙地跑过来，把手伸到了爸爸的

kǒu dai li
口袋里。

bà ba lián máng zhuā zhù tā de shǒu wèn kě

爸爸连忙抓住她的手，问：“可

kě nǐ zài zuò shén me kě kě shuō wǒ yào

可，你在做什么？”可可说：“我要

qián bà ba bù gāo xìng de shuō nǐ yào qián

钱……”爸爸不高兴地说：“你要钱

zuò shén me kě kě nǐ zhè yàng dào bà ba kǒu dai

做什么？可可，你这样到爸爸口袋

li ná qián shì bú duì de

里拿钱是不对的！”

kě kě yǐ jīng ná dào le jǐ gè yìng bì
可可已经拿到了几个硬币，
tā zháo jí de shuō gěi wǒ ba wǒ yí huìr
她着急地说：“给我吧，我一会儿
jiù gào su nǐ bà ba shuō nà wǒ gēn nǐ
就告诉你。”爸爸说：“那我跟你
yí kuàir qù kàn nǐ ná qián zuò shén me
一块儿去，看你拿钱做什么。”

bà ba gēn zhe
爸爸跟着
kě kě zǒu dào lù kǒu
可可走到路口，
kàn jiàn yí gè rén zhèng
看见一个人正
zhàn zài nà li lā xiǎo
站在那里拉小
tí qín tā lā de
提琴。他拉的
shì yì shǒu jié rì gē
是一首节日歌
qǔ hěn hǎo tīng zài
曲，很好听。在
tā miàn qián de dì shang
他面前的地上
dào fàng zhe yì dǐng mào
倒放着一顶帽
zi měi dāng tā lā wán yì shǒu gē jiù huì yǒu rén
子，每当他拉完一首歌，就会有人
wǎng mào zi li fàng yì diǎnr qián kě kě yě zǒu guo
往帽子里放一点儿钱。可可也走过
qu bǎ shǒu li de qián fàng jìn le mào zi li bà
去，把手里的钱放进了帽子里。爸
ba kàn dào zhè yí qiè gāo xìng de xiào le
爸看到这一切，高兴地笑了。

lā xiǎo tí qín de rén bǎ hǎo tīng de yīn yuè
拉小提琴的人把好听的音乐
sòng gěi dà jiā kě kě bǎ qián gěi tā yīn wèi kě
送给大家，可可把钱给他，因为可
kě yě guān xīn bié ren
可也关心别人。

bà ba duì kě kě shuō lā qín rén kàn jiàn
爸爸对可可说：“拉琴人看见
nǐ yí dìng hěn gāo xìng kě kě shuō tā de
你，一定很高兴！”可可说：“他的
xiǎo tí qín lā de hěn hǎo tīng wǒ bǎ qián gěi tā
小提琴拉得很好听，我把钱给他，
wǒ yě hěn kuài lè bà ba nǐ bú huì shēng qì ba
我也很快乐！爸爸，你不会生气吧？”
bà ba shuō kě kě nǐ zuò de duì zhǐ shì yǐ
爸爸说：“可可，你做得对！只是以
hòu ná qián zhī qián yào gào su bà ba yì shēng
后拿钱之前要告诉爸爸一声。”

1 冬天到了，节日也多了，街上张灯结彩，到处都是五颜六色的。道路两边的商店里摆着很多好看的礼物、好吃的点心和有趣的玩具，过节真好！

2 弟弟跟着爸爸从一个商店走到另一个商店。突然，可可急急忙忙地跑过来，把手伸到了爸爸的口袋里。

3 爸爸连忙抓住她的手，问："可可，你在做什么？"可可说："我要钱……"爸爸不高兴地说："你要钱做什么？可可，你这样到爸爸口袋里拿钱是不对的！"

4 可可已经拿到了几个硬币，她着急地说："给我吧，我一会儿就告诉你。"爸爸说："那我跟你一块儿去，看你拿钱做什么。"

5 爸爸跟着可可走到路口，看见一个人正站在那里拉小提琴。他拉的是一首节日歌曲，很好听。在他面前的地上倒放着一顶帽子，每当他拉完一首歌，就会有人往帽子里放一点儿钱。可可也走过去，把手里的钱放进了帽子里。爸爸看到这一切，高兴地笑了。

6 拉小提琴的人把好听的音乐送给大家，可可把钱给他，因为可可也关心别人。

7 爸爸对可可说："拉琴人看见你，一定很高兴！"可可说："他的小提琴拉得很好听，我把钱给他，我也很快乐！爸爸，你不会生气吧？"爸爸说："可可，你做得对！只是以后拿钱之前要告诉爸爸一声。"

1

2

3

4

5

6

7